신기한 스쿨 버스 키즈 Kids

⑩ 홈런왕 랠프 — 힘의 원리

조애너 콜 글 · 브루스 디건 그림/ 이강환 옮김

1판 1쇄 펴냄—2001년 11월 15일, 1판 56쇄 펴냄—2016년 12월 16일
펴낸이 박상희 펴낸곳 (주)비룡소 출판등록 1994. 3. 17.(제16-849호)
주소 06027 서울시 강남구 도산대로1길 62 강남출판문화센터 4층
전화 영업 02)515-2000 팩스 02)515-2007 편집 02)3443-4318,9 홈페이지 www.bir.co.kr
제품명 어린이용 각양장 도서 제조자명 (주)비룡소 제조국명 대한민국 사용연령 3세 이상

ISBN 978-89-491-5033-8 74400 / ISBN 978-89-491-5023-9(세트)

신기한 스쿨 버스 키즈 Kids

⑩ 홈런왕 랠프 — 힘의 원리

조애너 콜 글 · 브루스 디건 그림/ 이강환 옮김

비룡소

여러분들 대부분은 학교 운동장에서 야구를 할 거예요. 하지만 프리즐 선생님 같은 분이 담임 선생님이라면 얘기가 다르죠. 우리 반은 야구를 할 때 조차도 신기한 스쿨 버스를 타고 견학까지 떠난다니까요!

우리는 쉬는 시간에 야구를 하고 있었어요. 타자는 랠프, 투수는 완다였어요. 다른 아이들도 각자 자기 위치에 있었어요.

하지만 한 가지가 빠져 있었어요.

"완다, 홈이 어디야?" 랠프가 물었습니다.

"없어. 그냥 있다고 생각해." 완다가 대답했습니다.

하지만 홈런을 치고 들어와서 밟을 게 없잖아!

완다가 공을 던지기 위해 다리를 높이 들어올리고, 손을 뒤로 젖히는 순간……,
갑자기 도로시 앤이 운동장으로 뛰어들어 오며 소리쳤어요.
"얘들아! 이걸 봐. 방금 대단한 걸 발견했어!"
"도로시 앤, 지금 홈런을 치려고 했단 말이야!" 랠프가 얼굴을 찌푸리며 말했습니다.
"하지만 이건 꼭 봐야 해. 진짜 재미있는 거야."
도로시 앤은 '어린이를 위한 힘과 운동' 이라는 책을 들고 있었어요. 우리는 모두
웃음을 터뜨렸어요. 이 책이 재미있다고? 도로시 앤은 정말 썰렁하다니까요!

"그래, 재미있을 것 같긴 하네. 하지만 난 지금 끝내기 홈런을 쳐야 한단 말이야!"

"랠프, 이해를 못 하는구나. 이 책에는 물체를 움직이고, 정지시킬 수 있는 '힘' 에 대한 설명이 모두 들어 있단 말이야."

도로시 앤이 답답하다는 듯이 말했습니다.

도로시 앤이 한번 설명을 하기 시작하면 아무도 못 말려요.

"예를 들어 눈썰매를 타다가 눈 위에 뿌려진 흙과 돌에 걸린다면 어떻게 될까? 눈썰매는 점점 느려지다가 곧 멈춰 버릴 거야. 왜냐하면 흙과 돌들이 썰매가 움직이는 것을 방해했기 때문이지."

도로시 앤은 계속 설명했습니다.

"이렇게 물체의 운동을 방해해서 물체를 멈추게 하는 힘을 '마찰력'이라고 해."

하암! 도로시 앤의 말은 너무 지루했어요. 썰매 마찰이 뭐라고요?

랠프는 몸을 비비 꼬기까지 했어요. 랠프는 야구 방망이로 홈이 있어야 할 자리를 톡톡 두드리다가 갑자기 도로시 앤의 책이 생각났어요! 그 책을 홈으로 쓰면 어떨까? 도로시 앤의 책은 편평한 데다가, 흰색이고, 크기도 적당했어요.

"도로시 앤, 그 책 정말 괜찮은 것 같다."

"맞아, 랠프. 여기 97쪽을 봐." 도로시 앤이 기뻐하며 말했습니다.

도로시 앤은 랠프가 책을 읽고 싶어한다고 생각했어요.
랠프가 야구장이 그려져 있는 97쪽을 보자 도로시 앤이 계속 말했습니다.

"이 책 속의 운동장에서는 야구를 할 수 없을 거야. 여기에는 마찰력이 없거든."

랠프가 씩 웃었습니다. 이제 홈이 생긴 거예요.

"자, 계속하자!" 랠프가 말했습니다.

우리가 운동장으로 돌아가려고 할 때 주차장에서 '빵—, 빠앙—' 하는 자동차 경적 소리가 들렸어요. 신기한 스쿨 버스였어요!

"모두 타세요!" 프리즐 선생님이 운전석에서 소리쳤습니다.

랠프는 스쿨 버스 쪽으로 달려가다가 그만 도로시 앤의 책을 떨어뜨렸어요.

선생님, 지금 중요한 시합 중이라고요!
랠프, 야구 시합보다는 견학 수업이 더 재미있을 거야. 자, 모험을 떠날 시간이에요!

"오늘은 야구 시합을 하겠어요."

프리즐 선생님의 말을 듣고 우리는 모두 어리둥절했어요. 야구 시합은 우리가 지금까지 했던 신기한 견학 수업처럼 새롭거나 특별한 게 아니었거든요.

"선생님, 야구 시합을 하기보다는 특별한 곳에 가 보고 싶어요. 랠프, 97쪽 기억하지? 선생님께 보여 드려." 도로시 앤이 말했습니다.

랠프는 아무 말 없이 우리가 지나온 야구장만 바라봤습니다. 도로시 앤도 랠프를 따라 창밖을 보다가 깜짝 놀랐어요. 도로시 앤의 책이 흙먼지 속에서 뒹굴고 있었거든요!

“랠프! 어떻게 이럴 수가 있어?” 도로시 앤이 화가 나서 소리쳤습니다.

“걱정 말아요. 지금부터 도로시 앤의 책도 찾고, 재미있는 견학도 할 거예요. 모두 출발!”

프리즐 선생님이 소리치자마자 스쿨 버스가 도로시 앤의 책이 있는 쪽으로 쏜살같이 날아갔어요. 스쿨 버스는 빙글빙글 돌면서 점점 작아지기 시작했어요. 도로시 앤의 책이 바람에 날려 펼쳐지자 우리는 책 속으로 들어갔어요!

우리는 창 밖으로 책이 한 장, 한 장 넘어가는 것을
지켜봤어요. 갑자기 도로시 앤이 소리쳤어요.
"선생님, 제가 말했던 97쪽이에요. 이곳은 마찰력이 없는 세계예요!"
"내가 보기에는 야구의 세계 같은데!" 랠프가 신나서 말했습니다.
스쿨 버스가 멈추자 랠프가 달려가며 소리쳤습니다. "가자!"
"랠프, 조심해. 그 운동장 바닥에는 마찰력이 없어!"
도로시 앤이 주의를 주었습니다.

도로시 앤의 말이 맞았어요. 그곳에는 마찰력이 없었기 때문에 랠프는 멈출 수가 없었어요. 랠프는 벽에 쿵 부딪힌 후 고무공처럼 튕겨 나가 다른 쪽 벽에 또 부딪혔어요.

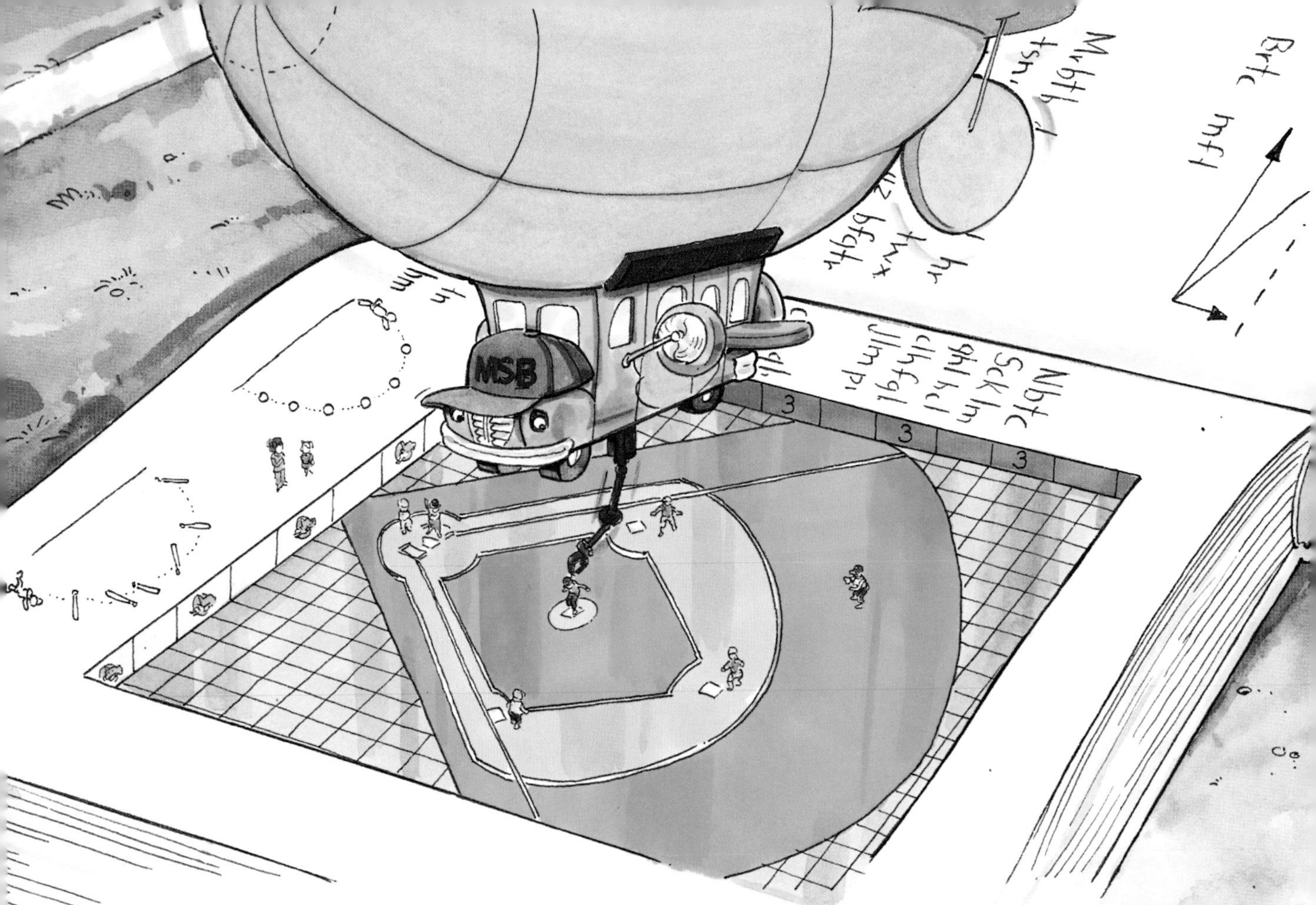

우리도 야구장으로 내려가자마자 스케이트를 타는 것처럼 쭉 미끄러졌어요.
선생님이 호루라기를 불었지만 우리는 제대로 몸을 가눌 수 없었어요.
바로 그때 스쿨 버스가 우리 머리 위로 떠오르기 시작했어요. 어느새 스쿨 버스는 비행선이 되어 있었어요! 리즈가 단추를 누르자 기계로 된 큰 집게가 아래로 내려왔어요. 집게는 우리를 볼링 핀처럼 들어올려서 각자의 위치에 내려놓았죠.
우리는 그제야 제자리에 서 있을 수 있었어요.
"야구 시합을 시작하겠어요!" 프리즐 선생님이 소리쳤습니다.

"지금부터 신기한 야구 시합을 시작하겠습니다. 이 야구장에는 마찰력이 없습니다. 다시 말씀드리지만 마찰력이 전혀 없습니다." 프리즐 선생님이 마이크에 대고 말했습니다.

"여러분, 믿거나 말거나 우리는 지금 책 속에서 야구 중계를 하고 있습니다. 우리가 있는 운동장은 얼음판보다 더 미끄럽습니다!" 도로시 앤이 덧붙여 말했습니다.

완다가 랠프를 향해 공을 던졌습니다. 공은 랠프를 향해 날아갔어요. 하지만 완다는 공을 던지자마자 뒤로 미끄러져 버렸어요! 왜냐하면 완다가 공을 던지면 완다를 뒤로 밀어내는 힘이 같이 생기거든요.

"여러분, 공을 던진 힘 때문에 완다가 반대쪽으로 밀려나고 있습니다!"

도로시 앤이 소리쳤습니다.

랠프는 공이 다가오자 방망이를 세게 휘둘렀어요. 딱! 랠프는 3루 쪽으로 땅볼을 쳤어요. 카를로스가 공을 잡으려고 했지만 놓치고 말았어요. 왜냐하면 공을 멈추게 할 마찰력이 없었기 때문에 공이 너무나 빨랐거든요.

우리는 랠프가 1루로 달릴 거라고 생각했어요. 하지만 랠프는 뱅뱅 돌기만 하지 뭐예요! 랠프는 빙글빙글 돌면서 야구장을 한 바퀴 다 돌더니 도로시 앤과 부딪히기까지 했어요!

랠프는 도로시 앤과 손까지 잡고 야구장을 계속 돌았어요!

"선생님, 마찰력이 없으니까 너무 미끄러워요. 도저히 야구를 할 수 없어요!"
도로시 앤이 빙글빙글 돌면서 소리쳤습니다.
프리즐 선생님도 우리와 같은 생각인 것 같았어요.
그때 리즈가 밖으로 나오더니 스쿨 비행선 위에 달린 풍선을 핀으로 펑 터뜨렸어요.
스쿨 버스는 야구장 바로 옆 마찰력이 있는 곳에 안전하게 착륙했어요.
이제 우리는 스쿨 버스까지 가기만 하면 돼요.
하지만 제대로 서 있기도 힘든데 어떻게 스쿨 버스까지 가죠?

그때 갑자기 스쿨 버스의 앞에서 갈고리가 달린 밧줄이 툭 튀어나오더니 반대쪽 벽에 단단히 박혔어요.

"여러분, 밧줄을 잡아요." 프리즐 선생님이 말하자 우리는 모두 밧줄을 꼭 잡았어요.

"힘은 우리를 움직일 수 있게 해 줘요. 힘에는 두 종류가 있죠. 하나는 '미는 힘' 이에요. 그럼 다른 하나는 뭘까요?"

프리즐 선생님이 묻자 완다가 밧줄을 단단히 쥔 채 대답했습니다. "당기는 힘?"

"맞아요!" 프리즐 선생님이 웃으며 말했습니다. 우리는 밧줄을 잡아당기며 조금씩 앞으로 움직였어요. 잠시 후 우리는 간신히 야구장을 빠져나올 수 있었어요.

오늘 같은 날은 그냥 집에 있어야 했는데…….

우리는 마찰력이 이렇게 중요한지 몰랐어요. 모두 도로시 앤에게 너무 미안했어요.
“도로시 앤, 네 말이 맞았어.” 완다가 멋쩍은 듯 말했습니다.
“랠프가 던져 버린 그 책을 내가 빌리면 안 돼?” 팀이 물었습니다.
“나도!” 아널드가 말했습니다. “그 다음은 나야!” 카를로스도 얼른 말했습니다.
“잠깐만, 일단 이 책에서 빠져나가야 책을 볼 거 아냐!” 랠프가 끼어들며 말했습니다.

우리는 스쿨 버스에 올라탔어요. 그때 바람이 불기 시작했어요. 우리는 안전띠를 매고 창문을 단단히 닫았죠. "출발!" 프리즐 선생님이 시동을 걸며 말했어요.

하지만 스쿨 버스가 움직이려는 순간 '윙' 하는 커다란 소리가 들려 왔어요.

순식간에 거센 바람이 불더니 스쿨 버스는 두꺼운 책 속에 파묻혀 버렸어요!

“선생님, 페달을 다시 밟아 보세요!” 완다가 말했습니다.

프리즐 선생님이 페달을 밟자 부르릉거리는 소리가 나면서 바퀴가 돌아갔어요.

하지만 스쿨 버스는 꼼짝도 하지 않았어요. 무게가 많이 나갈수록 마찰력도 커지거든요.

“책이 스쿨 버스를 점점 더 세게 누르고 있어요. 이제 스쿨 버스 힘만으로는 빠져나갈 수 없어요!” 도로시 앤이 소리쳤습니다.

책 속에 가— 갇— 갇혔어!
MSB
책벌레가 우리를
발견해 주겠지.

"이럴 수가! 책 속에 갇히다니." 랠프가 말했습니다.

"이대로 갇히게 되면 어쩌지?" 피비가 걱정하며 말했습니다.

하지만 프리즐 선생님은 너무나 태연하게 밖으로 나가며 말했습니다.

"내가 항상 말했듯이 책에 갇힌 사람은 주위를 둘러봐야 해요. 이쪽이에요, 여러분."

우리는 정말로, 정말로 스쿨 버스에서 내리고 싶지 않았지만 선생님도 없이 책 속에 갇혀 있는 건 더 싫었어요. 우리는 할 수 없이 선생님을 따라 97쪽에 내렸어요.

"우리가 지금 어떤 상황이지?" 키샤가 물었습니다.

"96쪽과 97쪽 사이에 끼인 상황이지." 카를로스가 장난스럽게 말했습니다.

"카를로스!"

키샤가 얼굴을 찡그리더니 소리쳤어요.

"미안, 난 분위기를 좀 가볍게 해 보려던 거야."

카를로스가 미안해하며 사과했습니다. 그때 팀에게 멋진 생각이 떠올랐어요!

"가볍게 한다고? 바로 그거야! 스쿨 버스의 지붕 위로 올라가서 책을 들어 올리는 거야!"
팀이 소리쳤습니다.
"그러니까 우리가 책을 들어 올리면서 스쿨 버스를 타고 밖으로 나가자는 거야?"
키샤가 팀을 쳐다보며 말하자 팀이 고개를 끄덕였어요.
"어떻게?" 아널드가 물었습니다.
"아널드, 좋은 질문이야. 누구 좋은 생각 없나요?" 프리즐 선생님이 물었습니다.

"여기 봐, 글자들이 벗겨져." 도로시 앤이 책에서 글자를 벗겨 내며 말했습니다.

"우선 두 팀으로 나누는 거야. 랠프네 팀이 스쿨 버스의 지붕으로 올라가서 책을 들어 올리고, 우리 팀이 글자들을 벗겨 위로 쌓아 올리는 거야. 그런 다음 글자들이 책을 받치고 있는 사이에 빠져나가는 거지!"

“좋아. 하지만 너희 팀이 책을 들어 올리고 우리 팀이 글자를 쌓는 건 어때?”
랠프가 말했습니다. “안 돼.” 도로시 앤이 화난 얼굴로 랠프를 쳐다보며 말했습니다.
“왜 안 돼?” 랠프가 지지 않고 말하자 도로시 앤이 소리쳤습니다. “글쎄, 안 된다니까!”
그때 아널드가 두 사람의 말싸움에 끼어들었습니다.
“도로시 앤, 모든 것을 멈추게 하는 게 뭐지?”
왜 갑자기 아널드가 이런 질문을 하는 걸까요?
“그야 마찰력이지.” 도로시 앤이 호기심에 가득 차서 대답했습니다.

아널드가 이번에는 랠프에게 물었습니다.

"마찰력이 너무 크면 우리는 움직일 수 없어. 그렇지, 랠프?"

랠프가 고개를 끄덕이자 아널드가 다시 말했습니다.

"내가 보기에 너희 둘 사이에는 마찰력이 너무 커. 그러니까 우리가 이 책에서 빠져나가려면……."

"우리 둘 사이의 마찰력을 없애야지!"

도로시 앤과 랠프는 동시에 대답하고는 서로 악수를 나누었어요.

역시 오늘 같은 날에는 내가 집에 있으면 안 되는 거였어.

시간이 좀 걸리기는 했지만 우리는 책 사이에 글자들을 쌓는 데 성공했어요.

우리는 곧바로 도로시 앤의 책에서 빠져나왔어요.

스쿨 버스가 학교에 도착하자마자 랠프가 문을 향해 쏜살같이 달려갔어요.

"랠프, 기다려! 조금 전에 스쿨 버스에서 내리다가 어떻게 됐는지 생각해 봐."

도로시 앤이 주의를 주었습니다.

랠프가 고개를 끄덕이며 물러서자 도로시 앤이 앞으로 나섰어요. 도로시 앤은 스쿨 버스에서 내리더니 발을 바닥에 대고 앞뒤로 조심스럽게 문질렀어요.

"괜찮아, 여기에는 마찰력이 있어!" 도로시 앤이 큰 소리로 말했습니다.

우리는 야구가 너무 하고 싶었어요. 학교 야구장에는 마찰력이 있으니까요! 도로시 앤이 제일 먼저 타석에 들어섰어요. 완다가 공을 던지자 도로시 앤은 방망이를 힘껏 휘둘렀어요.

딱! 공은 카를로스의 머리 위를 '슝—' 날아갔어요.

공은 바닥에 떨어져 구르기 시작했죠. 다행히 마찰력 때문에 공은 금방 멈추었어요.

카를로스가 공을 집어 홈으로 던졌고, 도로시 앤은 홈을 향해 미끄러졌어요.

앗, 그런데 홈이 어디 있는 거죠? 우리는 잠시 어리둥절했지만 금방 홈을 찾을 수 있었어요. 랠프가 우리의 홈을 읽고 있었어요!

"도로시 앤, 네 말이 맞아. 이 책은 정말 대단해!" 랠프가 책에서 눈을 떼지 않고 말했습니다.

내가 항상 하는 말이지만,
겉표지로 책을 판단하면 안 돼요!

신기한 스쿨 버스 편지함

편집자님께,

저는 도로시 앤의 책을 보고 싶어서 도서관에 가 봤지만 마찰력이 없는 곳에 대한 책은 찾을 수 없었어요. 이건 지구에서 마찰력이 없는 곳은 한 군데도 없다는 뜻인가요?

— 데이빗이

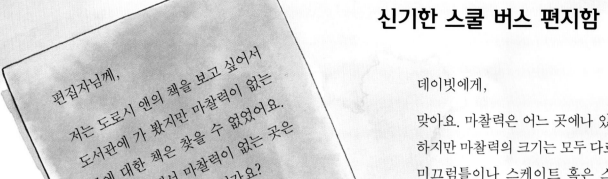

데이빗에게,

맞아요. 마찰력은 어느 곳에나 있어요. 하지만 마찰력의 크기는 모두 다르죠. 미끄럼틀이나 스케이트 혹은 스키를 탈 때의 마찰력은 평소보다 더 작아요.

— 편집자가

프리즐 선생님께,

저는 피비가 전에 다니던 학교의 학생이에요. 우리는 프리즐 선생님 반처럼 신기한 곳으로 견학을 갈 수 없어요. 우리 주변에서도 힘을 느낄 수 있나요? 힘을 느끼려면 어디로 가야 하죠?

— 피비의 친구 케이트가

케이트에게,

힘은 물체를 움직이거나 멈추게 하는 것이에요. 힘은 우리 주변 어디에나 있어요. 집, 학교, 동네 야구장 같은 곳에서 찾아보세요.

— 프리즐 선생님이

프리즐 선생님의공책

우리 주위에서 힘을 찾아봐요

기회를 놓치지 마세요! 호기심을 가지세요! 집 마당에서 실험을 해도 괜찮아요. 여기에 '힘과 운동'에 대해 실험할 수 있는 두 가지 방법이 있어요.

1. 줄다리기

힘에는 '밀어내는 힘'과 '끌어당기는 힘'이 있는데 경우에 따라 그 크기가 모두 달라요. 예를 들어 볼까요? 줄다리기를 하고 있는 두 팀이 어느 쪽으로도 끌려가지 않고 있다면, 그건 양 팀의 힘이 같기 때문이에요. 하지만 한쪽 편에 사람이 늘어나면 그 방향으로 당기는 힘이 당연히 더 커질 거예요!

2. 공차기

공으로 마찰력을 실험해 봐요. 마찰력의 크기는 물체가 닿는 표면에 따라 달라져요. 모래, 잔디, 시멘트가 있는 곳이나 잘 닦여진 마룻바닥 중에서 어떤 곳이 가장 마찰력이 클까요? 한번 공을 굴려 보세요. 미끄러운 곳일수록 마찰력이 더 작다는 것을 알 수 있을 거예요.

글쓴이 **조애너 콜**은 미국 뉴저지 주 뉴어크에서 태어났다. 초등학교 사서로 있다가 어린이 책 작가가 된 조애너는 책을 쓰기 전에 전문가 인터뷰와 철저한 자료 조사를 하는 것으로 유명하다. 「신기한 스쿨 버스」 시리즈로 《워싱턴 포스트》 논픽션 상, 데이비드 맥코드 문학상, 전미교육협회 공로상 등을 받았다.

그린이 **브루스 디건**은 1945년 미국에서 태어나 뉴욕 쿠퍼 유니언 대학과 프라트 대학에서 일러스트를 전공했다. 「신기한 스쿨 버스」의 주인공들처럼 밝고 익살스러운 성격으로, 한때 아이들에게 미술을 가르치기도 했다. 자신이 직접 글을 쓴 『잼베리』 등을 비롯, 수십 권의 어린이 책에 그림을 그렸다.

옮긴이 **이강환**은 서울대학교 천문학과를 졸업하고, 같은 대학 대학원에서 박사 학위를 받았다. 옮긴 책으로는 『꼬마 박사 궁금이의 똑똑한 뇌 이야기』, 『별의별 원소들』, 「신기한 스쿨 버스」 시리즈 등이 있다.